Coleção
Pátria

Bem viver, bem-querer

Cidadania e ética para crianças

© 2020 do texto por Cristina Von
© 2020 das ilustrações por Ju Castelo
Callis Editora Ltda.
Todos os direitos reservados.
1ª edição, 2021

Texto adequado às regras do novo Acordo Ortográfico da Língua Portuguesa

Direção editorial: Miriam Gabbai
Editor assistente e revisão: Ricardo N. Barreiros
Projeto gráfico e diagramação: Thiago Nieri

Dados Internacionais de Catalogação na Publicação (CIP)
Angélica Ilacqua CRB-8/7057

Von, Cristina
   Bem viver, bem-querer : cidadania e ética para crianças / Cristina Von ; ilustrações de Ju Castelo. – São Paulo: Callis, 2021.
   32p. : il., color. (Coleção Pátria)

   ISBN 978-65-5596-047-1

   1. Literatura infantojuvenil 2. Cidadania - Literatura infantojuvenil 3. Meio ambiente - Literatura infantojuvenil I. Título II. Castelo, Ju

21-0989   CDD: 028.5

Índices para catálogo sistemático:
1. Literatura infantojuvenil 028.5

ISBN 978-65-5596-047-1

Impresso no Brasil

2021
Callis Editora Ltda.
Rua Oscar Freire, 379, 6º andar • 01426-001 • São Paulo • SP
Tel.: 11 3068-5600 • Fax: 11 3088-3133
www.callis.com.br • vendas@callis.com.br

Cristina Von

Coleção
Pátria

Bem viver, bem-querer

Cidadania e ética para crianças

Ilustrações de
Ju Castelo

callis

O que é o bem viver?
É o que devemos fazer.
Bem viver é bem-querer,
ficar feliz ao amanhecer.

Dizer com licença ao entrar,
por favor e obrigado para retornar.
E, na hora em que se arrepender,
pedir desculpas e compreender.

Fazer o errado não dá certo,
fazer o certo é mais correto.
Você não passa vergonha
e dorme tranquilo na fronha.

Uma boa ação não é exceção,
é uma simples obrigação.
Uma carteira perdida na rua,
com certeza, não veio da lua.

Respeitar quem quer ensinar
e se oferecer para ajudar.
Não pegar o que não é seu
e ser gentil e livre como eu.

Fazer barulho pode incomodar
quem deseja descansar.
Por isso você só pode gritar
no campo, na praia ou no mar.

Não jogue lixo na rua,
saiba que ela também é sua.
Trate bem o planeta,
antes que ele derreta.

A virtude pode ser aprendida,
como a matemática é entendida.
Ninguém nasce sabendo,
aprende conforme vai crescendo.

Seguir regras não é bobagem,
é isso que lhe dá bagagem
para ir aonde quiser,
dizer e fazer o que puder.

Se você tem uma religião,
tenha sempre compaixão.
Nem todos pensam igual,
nem para o bem, nem para o mal.

Saber falar e dialogar
com quem você não concordar
é evitar discutir e brigar
e conseguir se relacionar.

Se ouvir uma piada de raça,
diga que ela não tem graça.
Ninguém é superior
causando tristeza e dor.

Todos sabem o que é errado
e não adianta ficar calado.
Rir de alguém machucado
faz mal e não é educado.

Foi sem querer
ou foi por querer?
Faça sua aposta,
só você sabe a resposta.

Você tem o direito de errar,
cada vez menos se acreditar.
Não precisa ser perfeito,
basta fazer o melhor do seu jeito.

Cuidar do corpo é importante
e a sua saúde garante.
Frutas e legumes são gostosos,
muita gordura e açúcar, perigosos.

Pratique exercícios ao brincar
para seus músculos formar.
Saiba perder ou ganhar
e os adversários cumprimentar.

Os heróis que você vê
podem não estar na TV.
Às vezes, é uma cientista,
um bombeiro ou um taxista.

A escola ensina a viver,
você não deve se esquecer.
Nenhuma tarefa é difícil
se é em seu benefício.

Não chegue atrasado na prova
e nunca use a cola.
A escola tem suas regras,
esteja de acordo com elas.

Ajude outras pessoas se quiser,
ajude a sua escola se puder.
Ajude o seu bairro se possível
e o seu país em outro nível.

Deveres, regras e direito
não existem por acaso.
Onde há ordem, há justiça,
há liberdade e não preguiça.

Faça sua parte com nobreza
mesmo que ninguém veja.
O importante é sentir-se bem
e ser feliz também.

Cristina Von

Cristina Von nasceu na cidade de São Paulo e formou-se em Publicidade e Propaganda pela Fundação Armando Alvares Penteado (FAAP) e durante anos trabalhou como designer gráfica. Aos 35 anos, escreveu seus primeiros livros infantis. Suas obras sempre foram bem acolhidas por crianças e jovens, por abordarem temas atuais e relevantes. A "Coleção Pátria" agora faz parte de sua história.

Ju Castelo

Ju Castelo é uma ilustradora brasileira que atualmente vive em Barcelona. Estudou design gráfico no Rio de Janeiro e trabalhou durante anos como tal, mas sempre soube que a ilustração era o que dava sentido ao seu mundo. Com o tempo, ilustrar se tornou algo essencial para ela e decidiu se lançar a essa aventura. Sua inspiração está nas pessoas, no cotidiano, na natureza, nas suas raízes e, principalmente, na verdadeira essência da vida.